P9-DXG-540

CALGARY PUBLIC LIBRARY
NOVEMBER 2011

Pour Carlours... et à Florence, mon soleil

D. D.

À ma douce maman, Madeleine,
pour toute la candeur et l'émerveillement qu'elle m'a transmis,
et pour sa foi inébranlable en tous ses enfants.

G. G.

**Catalogage avant publication de
Bibliothèque et Archives nationales du Québec
et Bibliothèque et Archives Canada**

Demers, Dominique
Aujourd'hui, peut-être...
Pour enfants.
ISBN 978-2-89512-917-2

I. Grimard, Gabrielle, 1975- . II. Titre.

PS8557.E468A94 2010 jC843'.54 C2010-941053-X
PS9557.E468A94 2010

Aucune édition, impression, adaptation ou reproduction
de ce texte, par quelque procédé que ce soit, tant électronique
que mécanique, en particulier par photocopie ou par microfilm,
ne peut être faite sans l'autorisation écrite de l'éditeur.

© Les éditions Héritage inc. 2010
Tous droits réservés

Directrice de collection : Lucie Papineau
Direction artistique et graphisme :
Primeau Barey
Dépôt légal : 4e trimestre 2010
Bibliothèque et Archives nationales du Québec
Bibliothèque et Archives Canada

Dominique et compagnie
300, rue Arran, Saint-Lambert (Québec)
Canada J4R 1K5
Téléphone : 514 875-0327
Télécopieur : 450 672-5448
Courriel : dominiqueetcie@editionsheritage.com

www.dominiqueetcompagnie.com

Imprimé en Chine

Nous remercions le Conseil des Arts du Canada
de l'aide accordée à notre programme de publication.

Nous reconnaissons l'aide financière du gouvernement
du Canada par l'entremise du Fonds du livre du
Canada pour nos activités d'édition.

Nous reconnaissons l'aide financière du gouvernement
du Québec par l'entremise du Programme de crédit d'impôt
pour l'édition de livres – SODEC – et du Programme d'aide
aux entreprises du livre et de l'édition spécialisée.

Texte : Dominique Demers
Illustrations : Gabrielle Grimard

Aujourd'hui, peut-être...

Il était une fois une petite fille
qui avait décidé de ne plus grandir.
Elle vivait dans une maison,
au milieu d'une immense forêt,
avec son oiseau.

La petite fille avait appris à se débrouiller seule.
Elle savait préparer du thé et aussi faire des confitures
et des tartines.

Tous les matins, à son réveil, la petite fille s'étirait doucement avant de dire bonjour au soleil, aux arbres et au vent. Puis, le cœur gonflé d'espoir, elle déclarait à l'oiseau :
– Aujourd'hui, peut-être, il viendra.

Qui viendra ? L'oiseau ne le savait pas. Et la petite fille non plus. Mais elle savait, aussi sûr que le ciel est bleu et le soleil blond, qu'elle attendait quelqu'un.

Un jour, trois brigands entrèrent sans frapper.
La petite fille leur expliqua qu'elle n'avait,
pour tout trésor, que ses cent livres préférés.
Comme les brigands ne savaient pas lire,
ils décidèrent de voler la petite fille.
– Vous ne pouvez pas ! protesta-t-elle.
– Pourquoi ? demandèrent les trois brigands
d'une même voix.
– Parce que j'attends quelqu'un, répondit
la petite fille, les yeux brillants.

Heureusement, ces voleurs étaient gourmands.
Ils acceptèrent donc de repartir avec un gros
pot de confiture.

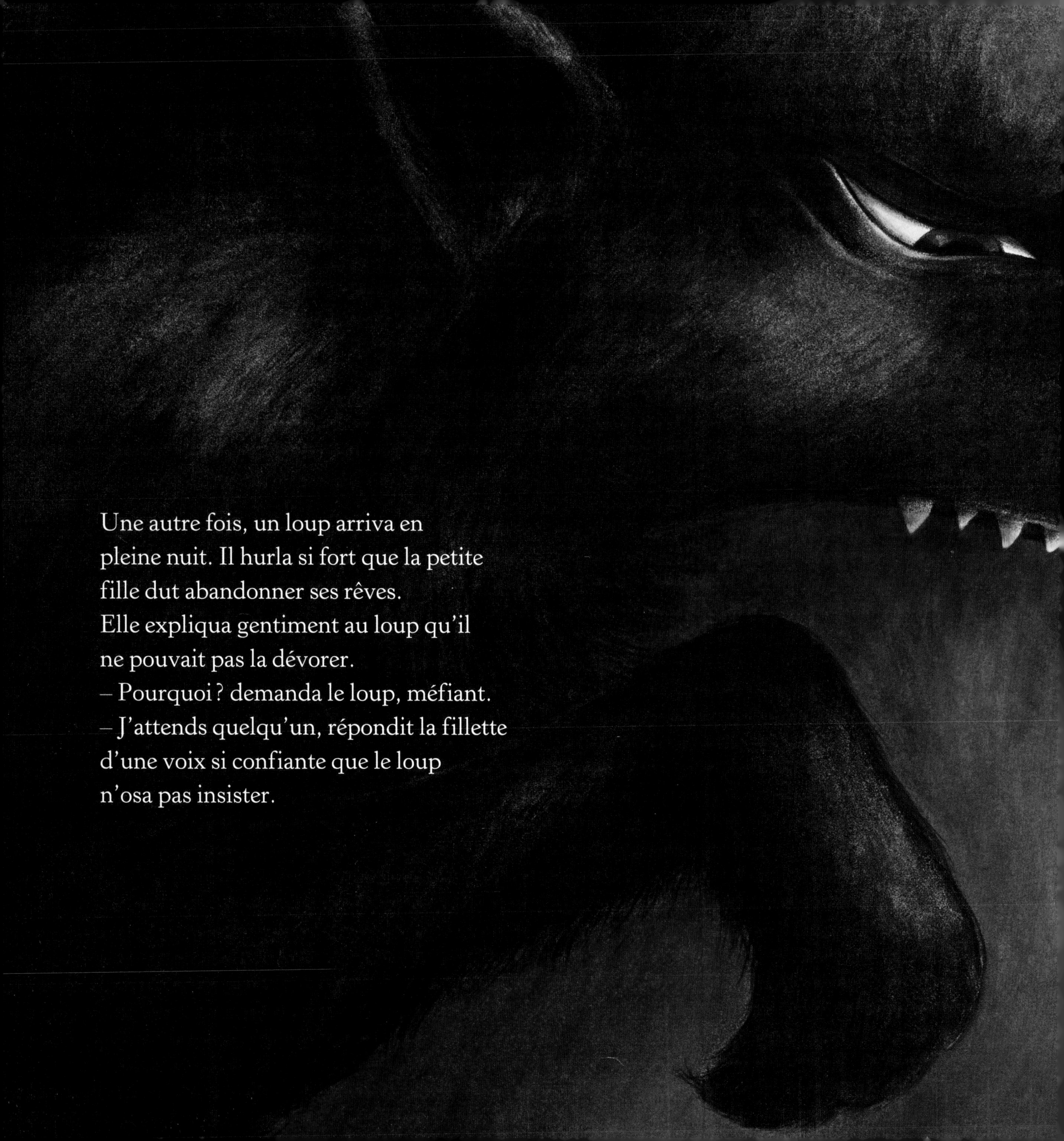

Une autre fois, un loup arriva en
pleine nuit. Il hurla si fort que la petite
fille dut abandonner ses rêves.
Elle expliqua gentiment au loup qu'il
ne pouvait pas la dévorer.
– Pourquoi ? demanda le loup, méfiant.
– J'attends quelqu'un, répondit la fillette
d'une voix si confiante que le loup
n'osa pas insister.

Le loup parut très déçu. Pour le consoler, la fillette lui raconta une histoire de loup acrobate et poète à ses heures.

Le loup repartit, le cœur habité par des rêves nouveaux.

Pendant des mois, plus personne ne vint. Pourtant, tous les matins, après avoir dit bonjour au soleil, aux arbres et au vent, la petite fille répétait à l'oiseau :
– Aujourd'hui, peut-être, il viendra.

Et même si l'oiseau ne savait pas qui devait venir, il espérait très fort qu'aujourd'hui serait le bon jour. La petite fille aussi.

Un soir de grands vents et d'orage, un prince frappa à la porte. La petite fille le fit entrer. Elle lui prépara du thé parfumé et des tartines en demi-lune pour le réconforter.

Le prince trouva la fillette si parfaite qu'il voulut l'épouser. La petite fille dut lui expliquer que c'était tout à fait impossible.
– J'attends quelqu'un, lui souffla-t-elle à l'oreille.

Le prince sembla très attristé.
Pour le consoler, la petite fille lui offrit sa recette de tartine.

Recette de tartine

Ingrédients :
une tranche de pain
un peu de beurre frais
toutes sortes de bonnes choses

Préparation :
découper joliment une forme dans la tranche de pain avec un couteau ou des ciseaux
tartiner généreusement de beurre frais
ajouter quelque chose de bon :
de la confiture, du fromage, des tranches de pomme ou de banane ou peut-être des bonbons

Bon appétit !

Une sorcière se présenta un après-midi. Elle était laide et ricanait affreusement.
– Je vais te changer en éléphant, annonça-t-elle à la fillette en dévoilant ses dents jaunes.
– Ah non ! répondit la fillette d'un ton sans réplique. Vous ne pouvez pas me changer en éléphant, parce que j'attends quelqu'un et il ne me reconnaîtrait plus.

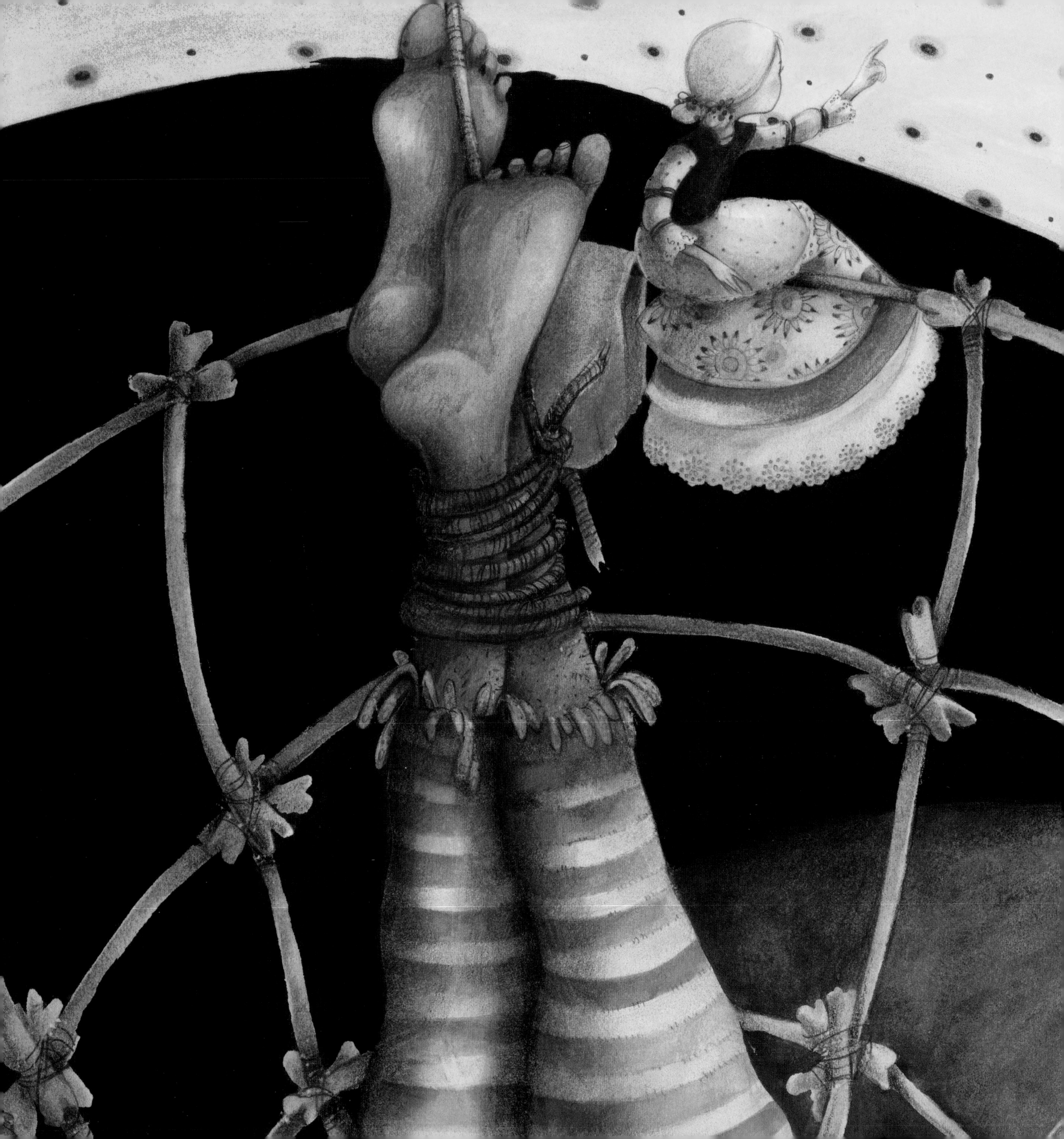

La sorcière insista, car elle adorait transformer les petites filles en éléphant. Pour la convaincre de partir, la petite fille lui raconta une histoire de sorcière pendue par les orteils après avoir été trop méchante. La sorcière s'enfuit à toutes jambes.

Un matin de printemps doux, la fillette s'éveilla
le cœur battant. Tout, autour d'elle, semblait différent.
Le soleil, les arbres, le ciel, le vent.

Même l'oiseau. Ses plumes étaient chaudes et
son petit cœur à lui aussi cognait fort.

La petite fille attendit toute la journée,
habitée par une joie tremblante.

Mais nul ne vint.

À la tombée du jour, elle murmura à l'oiseau :
– Demain, peut-être…

Au même moment, il y eut un grattement
à la porte. La petite fille ouvrit.

Un gros ours aux yeux d'or et
de miel se tenait sur le seuil.
Aussitôt, une certitude merveilleuse
fleurit dans le cœur de la petite fille.

C'était lui. Elle le savait. Elle en
était même parfaitement sûre.
– J'ai fait trois fois le tour du monde,
lui confia l'ours, fatigué.
– Pourquoi ? demanda la fillette,
même si elle savait déjà.
– Je crois bien que je te cherchais,
répondit l'ours.

– Et moi, je t'attendais, dit la petite fille.